Tajemnica Wyspy Pereł

Wszystkie słowa oznaczone gwiazdką (*) są wytłumaczone na skrzydełku okładki.

Tytuł oryginalny serii: *Plume le pirate*
Tytuł oryginału: *Le trésor de l'île aux Perles*

© 2006 by Éditions Flammarion
© for the Polish edition by Egmont Polska Sp. z o.o., Warszawa 2010

Redakcja: Wanda Jaśkowska
Korekta: Paulina Martela

Wydanie pierwsze, Warszawa 2010
Wydawnictwo Egmont Polska Sp. z o.o.
ul. Dzielna 60, 01-029 Warszawa
tel. 22 838 41 00
www.egmont.pl/ksiazki

ISBN: 978-83-237-3539-7

Skład i łamanie: Katka, Warszawa
Druk: Druk-Intro S.A.

Paul Thiès

Louis Alloing

Tajemnica
Wyspy Pereł

Tłumaczenie *Maciej Wojciech Weryński*

EGMONT

Rozdział 1

Ptyś szaleje

Mali piraci mieszkają zwykle na statkach ze swoimi rodzicami, wielkimi piratami. Wśród wielkich piratów są źli, którzy napadają na ludzi, i dobrzy, którzy poszukują skarbów.

Tatuś Ptysia nazywa się kapitan Widelec i należy do najlepszych piratów pod słońcem. Dowód: zanim został piratem, miał własną cukiernię pełną słodkich pyszności. Tak bardzo jednak kochał podróże, że sprzedał ją i w zamian kupił statek. Nazwał go *Na Zdrowie*. Od tej pory wszyscy w rodzinie Widelców stali się piratami.

Ptyś, który naprawdę ma na imię Ekler, ale nazywają go Ptyś, bo jest za mały na tak poważne imię, też należy do bardzo dobrych piratów. Czule zajmuje się na przykład Tarteletką, rodzinną papugą, a nawet lubi łaskotać latające ryby.

Tyle że są takie dni, kiedy mali piraci szaleją…

Jak choćby ten. Ptyś budzi się w złym nastroju. To się zdarza zarówno piratom, jak i zwykłym ludziom. Nie chce nawet obierać dla taty jabłek na olbrzymią tartę!

Potem Ptyś nie wiedzieć czemu uderza w blaszany rondel, kiedy jego mama, która uwielbia muzykę, gra na pokładzie na harfie. To dopiero awantura! Ptyś trafia do kąta, a raczej pod główny maszt.

Jego starszy brat Placek i starsza siostra Magdalenka bez końca naśmiewają się z chłopca. A Tarteletka powtarza jak najęta:

– Ptyś ma karę, zyg, zyg, zyg!

– Dobrze ci tak! Należało ci się i sam o tym wiesz – śmieje się Szarlotka, młodsza zaledwie o rok siostra Ptysia.

Chłopiec rzuca się na Szarlotkę i próbuje ugryźć Tarteletkę.

Jest coraz gorzej!

Ptyś kopie prosto w ster*, a ten rozpada się na kawałeczki!

– Nie wstyd ci? – krzyczy tata.

– Oj, jeśli będziesz się tak zachowywać, skończysz jako zły pirat! – dodaje mama.

– Okropny, napadający na ludzi pirat, zakała rodziny!

– Przez trzy tygodnie będziesz miał szlaban na pieczonego rekina – zapowiada zdenerwowany tata.

– I zapłacisz za naprawę steru – dorzuca mama.

– Mam zapłacić? – dziwi się Ptyś, aż oczy robią mu się całkiem okrągłe.

Ale jak zapłacić? Aj, aj! Przecież Ptyś nie ma ani grosika. Ani na przykład talara*, ani dukata*. Całe kieszonkowe poszło na cze-

koladki, kiedy byli na Żółwiej Wyspie. Dał je swojej przyjaciółce Perełce, córce słynnego króla kanibali.

Szarlotka i Magdalenka śmieją się, że biedny Ptyś się zakochał. Chyba mają serca z kamienia! Ale pewnego dnia Ptyś na pewno zostanie wielkim bohaterem. I znajdzie wielki skarb. I jego siostry pożałują, że się z niego śmiały!

Ptyś musi zapłacić za ster statku, który zniszczył w złości.

Rozdział 2

Wyspa Pereł

– **M**am już dość! – wzdycha Ptyś, ocierając czoło. – Ile dni jeszcze będę się tak męczyć? I gdzie tu sprawiedliwość! Musi zebrać sto pereł, żeby zapłacić za ster.

Rodzice dowieźli go do słynnej Wyspy Pereł, gdzieś pośrodku Morza Karaibskiego. I nie wrócą przez wiele, wiele dni. Nie jest łatwo...

Ptyś wstaje o świcie i nurkuje po wczepione w podwodne skały małże. Musi je oderwać nożem i zabrać na ląd. Jeśli w którymś znajdzie perłę, odkłada ją starannie do sakiewki.

Tego ranka Ptysiowi jest smutno. Myśli o swojej rodzinie, ale także o Perełce. Bardzo mu jej brakuje...

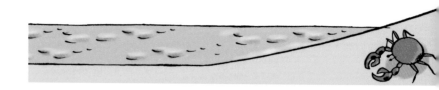

Nagle słyszy, że ktoś wzdycha za wydmą. Idzie sprawdzić. Nie do wiary! To Mały Hak, jego najlepszy przyjaciel.

Mały Hak ma zielone oczy, długie jasne włosy i kolczyk w uchu, co nadaje mu nieco szelmowski wygląd.

– A niech to, co ty tu robisz? – pyta zdziwiony Ptyś.

– Hmm... wziąłem bez pozwolenia busolę taty i się rozbiła – wyjaśnia Mały Hak.

– Muszę teraz znaleźć dwieście pereł, żeby za nią zapłacić.

Dwieście pereł! Słynny kapitan Żółtobrody, ojciec Małego Haka, jest zdecydowanie surowszy niż kapitan Widelec.

– Ale tata zostawił ci coś do jedzenia? – pyta z troską Ptyś.

– Suchy chleb i suszone mięso – mruczy pod nosem Mały Hak.

– No, dobrze! Zrobimy sobie przerwę i poprosimy Flik-Flaka, żeby złowił nam ładną rybę, zgoda?

– Zgoda! – odpowiada radośnie Mały Hak i uśmiecha się szeroko.

Flik-Flak, oswojony delfin Małego Haka, pływa w kółko. Kiedy zauważa Ptysia, staje na ogonie i klaszcze płetwami.

W tej samej chwili, za inną wydmą, rozlega się głośne westchnienie.

– Ach!

– Znam ten głos! – krzyczy Ptyś radośnie.

Mała dziewczynka o długich, czarnych włosach głaszcze papugę siedzącą na olbrzymiej stercie skorup po małżach.

To się nazywa mieć szczęście! To Perełka, przyjaciółka Ptysia, i Koko, jej papuga.

Rozdział 3

Atak
Pianobrodego

Perełka wyjaśnia chłopcom, że wylała wrzącą zupę prosto na stopy swojego taty, króla kanibali. Aż podskoczył, a kiedy spadał, nieszczęśliwie trafił głową w skałę.

– I co dalej? – pyta Mały Hak.

– No... Pogniótł sobie koronę – wzdycha dziewczynka. – Muszę teraz znaleźć trzysta pereł na nową.

Ptyś i Mały Hak kiwają głowami ze zrozumieniem: wszyscy rodzice są tacy sami! Jest jednak całkiem zabawnie odbywać karę we trójkę! Dzieci znajdują schronienie w miłej jaskini na szczycie wzgórza. Ukrywają w niej żywność i złowione perły.

Przez resztę dnia biegają po plaży, kąpią się w morzu i puszczają kaczki na wodzie. Mały Hak dosiada Flik-Flaka i ściga się z latającymi rybami.

Perełka i Ptyś spacerują brzegiem morza. Rysują na piasku serca. Jest bardzo romantycznie, ale Koko i Tarteletka skrzeczą na całą wyspę:

– Zakochana para!

Mały Hak z kolei myśli o Szarlotce, siostrze Ptysia. Bardzo ją lubi, ale nie mówi tego głośno...

Przez następne dni dzieci znajdują czas na pracę. Pomagają im zwierzęta.

Flik-Flak wynosi na powierzchnię mnóstwo małży. Koko i Tarteletka biorą po

jednej muszli, wzlatują wysoko i upuszcza-
ją na skały. Małże się rozbijają i dzieci mu-
szą tylko zebrać perły. Łatwizna!

Jednak któregoś ranka Mały Hak wspina
się na bananowiec po deser i nagle krzyczy:

– Alarm! Statek na horyzoncie!

– Jaki statek? – pyta Perełka.

– Niszczyciel, okręt straszliwego Pianobrodego! On jest jeszcze gorszy niż mój tata – jęczy Mały Hak.

Troje przyjaciół zbiera perły, kiedy nagle na horyzoncie
pojawia się okręt przerażającego Pianobrodego.

Rozdział 4

Oblężenie
jaskini

*N*iszczyciel rzuca kotwicę* nieopodal
wyspy. Dwaj uzbrojeni po zęby marynarze
schodzą na ląd. Rechoczą ze śmiechu. Na
nosie Pianobrodego, pirata i banity*, rośnie
kępka włosów. Teraz siada on na kamieniu

i ogląda wyspę. Jeden majtek, śniady i bosonogi, trzyma nad jego głową parasol. Wygląda na przestraszonego. Ptyś ukrywa się z przyjaciółmi w jaskini na wzgórzu. Na szczęście wejście jest wąziutkie. Na nieszczęście piraci właśnie wspinają się na wzniesienie i odkrywają grotę.

Pianobrody popędza ich głośnymi wrzaskami. Majtek podaje mu stary, zardzewiały garłacz*. Pianobrody wymierza chłopakowi kopniaka, a potem celuje z broni w stronę wejścia do groty.

– Oddawać mi perły, i to natychmiast! – krzyczy.

– Nigdy! – odpowiada Ptyś.

I czuje się jak wielki bohater!

Piraci atakują, ale dzieci się bronią. Pianobrody dostaje bombą z przegniłego banana w nos, a majtek kokosem w głowę. Pada na ziemię, a jego towarzysze uciekają w podskokach.

Tarteletka i Koko gonią uciekinierów, dziobiąc ich po głowach.

Ptyś i Mały Hak wychodzą z jaskini, związują na wpół omdlałego majtka i ciągną ze sobą do środka.

– Kim jesteś? – pyta go Ptyś.

– Jestem Juanito, majtek na *Niszczycielu* – przedstawia się młodziutki więzień.

– I nie wstyd ci tak nas atakować bez powodu? – wybucha Mały Hak.

– Nie miałem wyjścia – przyznaje smutno Juanito. – Moi rodzice zginęli dawno temu i musiałem zostać piratem, żeby nie umrzeć z głodu.

– Więc trzeba było zostać dobrym piratem, jak Ptyś – surowo karci go Perełka.

– Mój Ptyś! Jest niebywale odważny!

Ptyś jest tak zadowolony i dumny, że aż się rumieni.

– Mój tata, straszliwy kapitan Żółtobrody, wkrótce przybędzie nas ocalić – mówi groźnie Mały Hak. – I utnie ci głowę!

– A mój tata, słynny kapitan Widelec, poszatkuje cię jak kapustę! – dodaje Ptyś.

31

– A mój, król kanibali, zje cię na surowo! – dorzuca, by zakończyć, Perełka.

Na te słowa nieszczęsny Juanito robi się zielonkawy, potem białawy i... bum! Pada jak martwy.

Dzieci spoglądają na siebie zakłopotane.

– Chyba trochę przesadziliśmy – mówi z żalem Ptyś.

– Tak, ale i tak było śmiesznie! – odpowiada Mały Hak.

Ptyś i jego przyjaciele biorą w niewolę Juanita,
majtka ze statku strasznego Pianobrodego.

Rozdział 5

Uratowani!

Piraci Pianobrodego znów przypuszczają szturm. Tym razem dzieciom brakuje amunicji! Katastrofa! Ptyś zamyka na chwilę oczy i widzi siebie wiszącego na maszcie *Niszczyciela*. Szuka w sercu odwagi i ściska przerażony Perełkę za rękę. Już nie chce być bohaterem!

Nagle wokół groty rozbrzmiewają wybuchy. Brutalnie wyrwane z korzeniami bananowce oraz palmy ze wzgórza spadają na głowy piratów.

Rozwścieczony Pianobrody i jego ludzie rzucają się pędem w stronę statku. Pięć minut wystarcza, by *Niszczyciel* zniknął za horyzontem.

Dzieci wychodzą z groty i dostrzegają Szarlotkę i Magdalenkę, które dźwigają pełne prochu beczułki. Ptyś pojmuje, że to jego siostry urządziły tę kanonadę.

– Tata, mama i Placek są z wizytą u kapitana Wściekłobrodego – wyjaśnia Szarlotka – więc my przypłynęłyśmy po ciebie.

– Dobrze, że na wszelki wypadek zabrałyśmy proch! – dodaje Magdalenka.

– Rzeczywiście, dobrze! – kiwa głową Szarlotka i z utęsknieniem rzuca się Małemu Hakowi na szyję.

Chłopiec robi się czerwony jak dojrzały pomidor.

Pianobrody pokonany, a siostry Widelcówny zostały bohaterkami! Ptyś jest troszkę zazdrosny o chwałę...

Wszystkie dzieci wracają na plażę. Na końcu wlecze się przybity Juanito.

– Co z tobą będzie? – pyta Ptyś.

– Nie mam pojęcia – wzdycha sierota.

– Pianobrody był wprawdzie okrutny, ale teraz już zupełnie nie mam dokąd pójść...

Ptyś i Mały Hak spoglądają ze współczu-
ciem. Owszem, Juanito jest złym piratem,
ale to nie jego wina!

Ale... cóż to? Juanito i Magdalenka wpatrują się w siebie, wpatrują... To miłość od pierwszego wejrzenia! Dość długiego, trzeba powiedzieć. To się często zdarza wśród piratów.

Rozczulony Ptyś bardzo chciałby jakoś pomóc majtkowi.

Flik-Flak, który z radości postanowił sobie zanurkować, wypływa z małżem na nosie. Ptyś podaje skorupiaka Juanitowi.

– Otwórz – podpowiada. – Nigdy nie wiadomo...

Majtek idzie za jego radą i niespodziewanie odkrywa w środku ogromną perłę, tak błyszczącą, jakby była zrobiona ze światła księżyca.

– To najprawdziwszy skarb! – gratuluje mu Ptyś. – Teraz będziesz mógł sobie kupić własną łódź i zostać dobrym piratem.

Ale Juanito potrząsa głową. Wyciąga rękę z perłą do Magdalenki i mruczy:
– To dla ciebie.

Szarlotka i Mały Hak śmieją się ukradkiem. Na pokładzie *Na Zdrowie* przybędzie nowa para zakochanych!

– Chyba się nie gniewasz? – pyta Ptyś swoją przyjaciółkę. – Juanito był taki smutny! Ale obiecuję: kiedy zostanę wielkim piratem, dostaniesz perły ogromne jak... jak...

– Kokos! – skrzeczy z góry Koko.

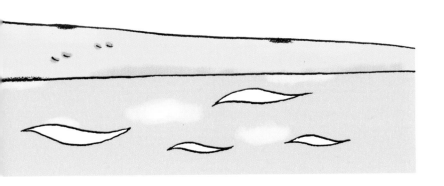

Perełka uśmiecha się i... całuje w policzek Ptysia, najbardziej szlachetnego spośród małych piratów. Ptyś ze szczęścia rusza w tan: jego Perełka i tak jest najpiękniejsza!

❶ Autor

Paul Thiès urodził się w 1958 roku w Strassburgu. Prawdopodobnie przyniósł go nie bocian, tylko albatros... Chodzi o to, że Paul Thiès jest wielkim podróżnikiem, który przemierzył siedem mórz i pięć oceanów! Bywał na argentyńskich galeonach, hiszpańskich karawelach, japońskich dżonkach, wenezuelskich jagandach i złotych galeonach Meksyku. Nie wspominając już o statkach wycieczkowych na Sekwanie i łódkach na niezliczonych egzotycznych wyspach. Paul Thiès jest więc specjalistą w zakresie małych piratów, okrutnych korsarzy, krwiożerczych bukanierów, sławnych Braci z Wybrzeża, słowem: całej pirackiej braci. Ale i tak najbardziej lubi Ptysia.

Stopy wody pod kilem i... do abordażu!

❷ Ilustrator

Louis Alloing

Z morzem spotykam się od samego urodzenia. Ujrzałem je w 1955 roku, w marokańskim mieście Rabat, potem widywałem w Marsylii. To Morze Śródziemne. Było też małe wymyślone morze, usiane wysepkami, z malutkimi falami i z mnóstwem małych piratów. I ślicznie pachniało, jak Morze Karaibskie, morze Ptysia i Perełki.

❸

Teraz, w Paryżu, pozbawiony słońca Południa i szerokich krajobrazów, żegluję po kartach papieru, na których rysuję ilustracje. Pozwalam falom, żeby mnie niosły śladami Ptysia i jego kumpli, a nie należy to do łatwych zadań, bo oni ciągle się gdzieś przenoszą. A ja dryfuję za nimi, uczepiony ołówka! To się nazywa przygoda. Wielka, ogromna przygoda z małymi piratami!

❸ Krab

Spis treści